Julia Donaldson -

Le rat scélérat

GALLIMARD JEUNESSE

Le Rat Scélérat était un mauvais garçon.
Le Rat Scélérat était un monstre.
Il ravissait ce qui lui chantait
et mangeait ce qu'il ravissait.
Sa vie se résumait à un long festin.

Ses dents étaient tranchantes et jaunes,
ses manières brutales et sans grâce,
et le Rat Scélérat chevauchait, chevauchait,
chevauchait, chevauchait par les chemins
et dérobait leurs victuailles aux voyageurs.

Une lapine qui avançait sur la route en sautillant,
s'arrêta soudain, les mains en l'air, car,
lui barrant le passage, se tenait le Rat Scélérat,
qui cria :
– Qui va là ?

– Donne-moi tes pâtisseries et tes entremets !
Donne-moi tes chocolats et tes gâteaux !
Car je suis le Rat Scélérat,
le Rat Scélérat, le Rat Scélérat,
et je prends ce qui me plaît.

– Je n’ai pas de gâteaux, répondit la lapine.
Je n’ai qu’une malheureuse touffe de trèfle.
Le Rat Scélérat lui lança un regard méprisant
mais ordonna :
– Donne-la-moi.

Je parie que ce trèfle est sans saveur.
Il n'en existe pas de plus fade.
Mais je suis le Rat Scélérat,
et ce trèfle est à *moi*!

car, tirant sur la bride de son cheval,
se tenait le Rat Scélérat, qui tonna :
– La bourse ou la vie ! Donne-moi tes petits
pains au lait et tes biscuits !
Donne-moi tes éclairs au chocolat !

Car je suis le Rat Scélérat, le Rat Scélérat,
le Rat Scélérat, oui, je suis le Rat Scélérat,
et le Rat Voleur ne partage pas.
– Je n'ai pas de petits pains au lait,
répondit l'écureuil. Je n'ai qu'un malheureux
sac de glands.

Le brigand s'empara du sac et gronda :
– Pas de discussion ! Aucun doute, ces glands
sont pourris, il n'en existe pas de plus durs,
mais je suis le Rat Scélérat, et ces glands
sont à *moi*.

Des fourmis qui trottinaient sur la route,
firent halte dans un soubresaut,
car, montrant les dents, se tenait le Rat Scélérat,
qui lança ce cri assourdissant :
– Halte !

Donnez-moi vos bonbons et vos sucettes !
Donnez-moi vos caramels et vos berlingots !
Car je suis le Rat Scélérat, le Rat Scélérat,
le Rat Scélérat, oui, je suis le Rat Scélérat,
et personne n'ose me dire non.

– Nous n'avons pas de bonbons, répondirent les fourmis. Nous n'avons qu'une belle feuille verte.
– C'est faux, vous ne l'avez plus,
déclara le bandit de grand chemin.

Cette feuille ne vaut pas un clou et elle est amère.
Il n'en existe pas de plus négligeable,
mais je suis le Rat Scélérat, et cette feuille
est à *moi*!

Sans jamais prier ou remercier,
le Rat continua ses larcins.

Des mouches
à une araignée !

Du lait à un chat !

Il déroba même du foin
à son cheval !

Les animaux qui empruntaient la route
maigrissaient à vue d'œil,

Tandis que le Rat Scélérat engraissait
comme un cochon en se régalant
du repas des autres.

Une cane qui arrivait sur la route en se dandinant, s’arrêta et salua le Rat :
– Enchantée, dit-elle.

– Je constate que tu n'as rien, se plaignit le Rat.
Dans ce cas, je n'ai plus qu'à te manger !
Je doute que tu sois succulente. Il n'en existe
sans doute pas de plus coriace que toi,

mais je suis le Rat Scélérat,
le Rat Scélérat, le Rat Scélérat,
oui, je suis le Rat Scélérat,
et je mangerais bien de la cane au dîner !

– Attendez, cancana la cane, car j'ai une sœur, qui possède des friandises plus délectables que moi. Elle serait ravie de faire votre connaissance et vous l'apprécierez, j'en suis sûre, car au plus profond de sa grotte obscure, tout en haut de la colline, biscuits et petits pains au lait sont légion et vous pourrez manger à satiété.

– Conduis-moi ! cria le Rat,
et ils prirent la route, qui semblait
ne devoir jamais finir, et ils chevauchaient
toujours plus loin, toujours plus haut,
virage après virage.

Ils arrivèrent enfin devant une grotte reculée,
et la cane se mit à cancaner.

– Bonsoir, ma sœur,
sœur, sœur…

- As-tu des gâteaux
et des chocolats ?
cria le bandit
de grand chemin.
Et, « *Chocolats !*
Chocolats ! Chocolats... »
répondit la voix du fond
de la grotte.
- Je viens les chercher,
hurla le Rat Voleur.
Ses yeux s'arrondirent
de gourmandise.
Et, « *Viens les chercher,*
chercher,
chercher ! »
répondit
l'amical écho.

Le Rat Scélérat mit pied à terre
et entra sans tarder dans la grotte.

La cane enfourcha sa monture
et reprit la route au galop.

Toujours plus vite, tournant après tournant.
La jeune cane courageuse chevauchait,
chevauchait, chevauchait.
Revenant à bride abattue vers ses amis affamés.

C’est ainsi qu’ils se partagèrent les provisions des sacoches et festoyèrent toute la nuit.

Vives étaient les flammes du feu de joie,
fortes la musique et les chansons,
débridées les danses au clair de lune,
joyeuses l'humeur et les conversations,

car désormais
ils pouvaient vivre
en liberté à l'abri
du Rat Scélérat.

Quant au Rat dans la grotte
aux échos, il cria et erra
tant et plus, jusqu'à ce…

qu'il trouve une sortie vers
la lumière, de l'autre côté
de la colline.